algar
editorial

Últimos títulos publicados de Calcetín Amarillo - a partir de 8 años

18. *Te regalo mi cumpleaños.* Seve Calleja / Pep Montserrat
23. *El tesoro de Casimiro el Feo.* Carmen Gil / Horacio Elena
27. *La brujita Gari.* Braulio Llamero / Montse Tobella
30. *¿Me ajuntas?* Seve Calleja / Carlos Ortin
35. *Marvin, el limpiabotas.* Dolors Garcia i Cornellà / Josep Vicó
39. *El hado Waldo.* Carmen Gil / Jesús López
43. *La noche de los animales.* Agustín Fernández Paz / Alberto Pieruz
48. *De la Tierra a Halley.* Lucía Baquedano / Susanna Campillo
53. *Los papeles del dragón típico.* Ignacio Padilla / Ana Ochoa
56. *El televisor mágico.* Braulio Llamero / Jacobo Fernández
61. *Alicia en el país del chocolate.* Xavier Mínguez / Ada García
63. *La máquina de los cuentos.* Carles Cano / Paco Giménez
73. *Tras los pasos de un zapato.* Javier Fonseca / Laura Chicote
74. *Nombres con sabor a verso.* Mª Dolors Pellicer / Jorge del Corral
76. *Olor a mamá.* Ricardo Alcántara / Montse Tobella
85. *Martina y los enredos del hada Amarilla.* Joaquina Barba / Anna Clariana
86. *El calcetín de los sueños.* Eulàlia Canal / Valentí Gubianas
88. *El país de los dragones.* Jordi Sierra i Fabra / Javi García
93. *Pastel de moras.* Javier Fonseca / Jaume Gubianas
94. *Las travesuras de Fito.* Susana Rico / David Guirao
95. *Las aventuras de Tachín.* Lucía Baquedano / Jacobo Fernández

Existen unas *Propuestas didácticas* referidas a este libro que se pueden descargar de forma gratuita desde la página web www.algareditorial.com.

LIBRO AMIGO DE LOS BOSQUES
PAPEL PROCEDENTE DE FUENTES RESPONSABLES

Apartado de correos 225 - 46600 Alzira
www.algareditorial.com
Diseño de la colección: Enric Solbes
Impresión: Romanyà - Valls

1.ª edición: marzo, 2014
ISBN: 978-84-9845-608-0
Depósito legal: V-488-2014

algar COLECCIÓN CALCETÍN

Las aventuras de Tachín

Lucía Baquedano

Dibujos de Jacobo Fernández

algar
editorial

A mi nieta Ángela

TACHÍN Y LA BRUJA

¿Una bruja en el colegio?

Luis Ángel aseguró que la había visto, pero nadie lo creyó. Julen y Valentín dijeron que las brujas no existen, y que, como no existen, era imposible que hubiera una en el colegio. Así que Luis Ángel se enfadó y los tres empezaron a pegarse, hasta que pasó el profesor de inglés y los separó.

Hacía unos cuantos días que Manuel había hablado de ella. Su padre, que había ido al mismo colegio cuando era niño, le contó que entonces se decía que había una bruja en la buhardilla. Hacía más de cien años que alguien cerró con llave la habitación más alta, sin darse cuenta de que ella estaba dentro, así que se quedó sin poder salir. Pero al padre de Manuel aquello le parecía imposible. Si hubiera una bruja en el colegio, alguien la habría visto, ¿no?

Pero al día siguiente Miguel los dejó a todos con la boca abierta al decirles que también su padre era antiguo alumno y, aunque nunca la vio, oyó a sus compañeros hablar de ella. Estaban tan convencidos de su existencia que un día decidieron subir a lo más alto para ver si era verdad lo de la puerta cerrada. Pasaron mucho miedo porque la buhardilla estaba oscura y llena de telarañas, y allá, al fondo, había una puerta cerrada que, por más esfuerzos que hicieron, no fueron capaces de abrir.

–Mi padre la vio, ¿eh? Mi padre la vio. Una puerta cerrada en la buhardilla –dijo Miguel. Y todos contuvieron la respiración porque estaban muy emocionados.

–¿Y qué que haya una puerta cerrada? Eso no quiere decir que viva una bruja dentro –se burló Javi, que, como era muy envidioso, no quería que Miguel fuera más importante que él.

–Bueno... pero ¿por qué está siempre cerrada? –preguntó Tachín.

Algunos empezaron a decir que a lo mejor no siempre estaba cerrada. Tal vez alguien la abrió después de que el padre de Miguel y sus amigos lo intentaran y la bruja se escapó. Así que Julen y Valentín volvieron a burlarse de ellos por creer la historia de la puerta cerrada y la bruja, ya que, además de que las brujas no existen, nadie puede vivir más de cien años. Pero se quedaron con un palmo de narices cuando Fátima les dijo que su bisabuela tenía ciento tres. Y contó que cuando cumplió cien se presentó el alcalde en su casa para felicitarla y llevarle un ramo de flores.

Y fue justo entonces cuando Luis Ángel gritó tan fuerte que hasta las Chulicas, que nunca hacían caso a lo que decían los demás, se acercaron.

–¡Aaayyy! ¡Estaba allí, asomada a la ventana más alta! ¡Y me ha mirado!

Todos levantaron la cabeza, pero no vieron nada.

–Ahí no hay nadie. Además la bruja no ha podido asomarse porque la ventana está cerrada –dijo Miguel. Y los demás asintieron.

–La habrá cerrado cuando se ha dado cuenta de que la he visto. Seguro que prefiere que nadie se entere de que está encerrada en la buhardilla.

–Las brujas no existen –volvió a decir Julen, y Valentín le dio la razón.

–Pues esta sí, porque yo la he visto y tenía un vestido negro.

–¿Y también un gorro de esos de punta? –preguntó Carlota.

–¿Y un gato negro en el hombro? Todas las brujas tienen uno –dijo Teresa.

Pero Luis Ángel no lo sabía. No se había fijado en si llevaba algo en la cabeza o un gato en el hombro. Estaba demasiado asustado para fijarse en tonterías. Los que no lo creían se burlaron de él, y otros se fueron apartando del grupo porque empezaban a sentir miedo, ya que, existieran o no las brujas, el hecho de que hubiera una en el colegio no les hacía ni pizca de gracia.

Así que junto a Luis Ángel solo se quedaron Tachín, Víctor, Carlota, Miguel y Manuel, que, aunque también tenían miedo, lo disimularon y miraron a su compañero con admiración porque no creían que en todo el colegio hubiera otro chico que hubiera visto una bruja.

–A lo mejor es verdad que la has visto, pero también podía ser una sombra o el sol dando en los cristales. A veces pasan cosas así. Pero podíamos asegurarnos subiendo a la buhardilla para ver si es verdad lo de la puerta cerrada –dijo Tachín.

Los demás empezaron a temblar. Ninguno tenía ganas de ver aquella terrible puerta.

–Ni siquiera sabemos por dónde se sube... –dijo Víctor.

–Si nos pilla Lázaro... –añadió Carlota.

A Tachín le pareció que no tenía por qué pillarlos si subían a una hora adecuada. Por ejemplo, a la de comer, cuando Lázaro, el conserje, estuviera en su casa.

–¡Pero Lázaro vive en el colegio! –gritó Miguel. Y todos asintieron.

Sí. El terrible conserje vivía en el colegio, en el piso de arriba, precisamente por donde ellos tenían que pasar.

–Esperaremos a la hora en que se va el autobús. Siempre baja al patio para vigilar a los pequeños cuando salen –dijo Tachín. Se sentía cada vez más valiente al ver los ojos de sus amigos fijos en él.

–Si no os atrevéis, yo sí –les dijo.

Y todos decidieron atreverse porque no querían parecer cobardes.

Así que estuvieron atentos al autobús de los pequeños para emprender su aventura.

La puerta cerrada

Aunque lo más difícil parecía burlar la vigilancia de Lázaro, se encontraron con otra dificultad mayor: en el interior del colegio había más de una escalera. Hasta tres arrancaban de la planta baja. Una llevaba a las clases de secundaria; otra, a una galería donde nunca habían estado, y había tres puertas. Por una se accedía a una habitación donde había una mesa grandísima rodeada de sillas. Al abrir otra se encontraron con un montón de duchas y lavabos, y en la tercera, más de veinte camas sin sábanas ni colchones. Les pareció muy raro, hasta que Manuel les contó que su padre había estado interno en el colegio y no solo comía allí, sino que también dormía.

«Me gustaría saber cuál era su cama», pensó mirándolas una a una, como si así pudiera descubrirlo.

–Todas estas puertas están abiertas, así que la bruja no puede estar aquí –dijo Carlota, porque no acababa de perder el miedo y quería irse cuanto antes.

Pero Manuel había recordado que su padre le había dicho que su cama del colegio cojeaba y se empeñó en tumbarse en todas para descubrir cuál había sido la suya. Menos mal que al probar la octava vio que se movía y se puso tan contento, dispuesto a seguir a los demás por otra escalera. Esta era estrecha y con peldaños de madera tan viejos que crujían al pisar y los condujo a una habitación grande, polvorienta y llena de pupitres desvencijados.

–¡Ya estamos en la buhardilla! –exclamó Tachín.

–Es un desván –le corrigió Miguel.

–¿Cómo lo sabes?

–Porque está debajo del tejado. Fíjate en el techo inclinado. Seguro que por encima tiene tejas, y los desvanes siempre están llenos de cosas viejas, igual que aquí. Así que esto es el desván.

–¿Y por qué no la buhardilla? Seguro que las buhardillas tienen un techo como este, y la gente guarda en ellas los muebles que ya no les sirven.

–A lo mejor es lo mismo –dijo Carlota.

–No –contestó Miguel.

–No –añadió Tachín.

Entonces se oyó un grito.

–¡Está aquí!

Tan lúgubre les pareció la voz que se pusieron muy juntos, como si así pudieran perder el miedo.

–Luis Ángel ha desaparecido –susurró Carlota.

Y todos pensaron que la bruja había salido de su escondite y se lo había llevado, pero estaban tan asustados que no podían ni hablar.

–¿Es que no me oís? –y aunque la voz sonaba apagada, pensaron que se parecía mucho a la de Luis Ángel.

–Seguro que la bruja lo tiene agarrado por los pies para que no pueda escapar –dijo Víctor. Le temblaba la voz y también él temblaba. Y como Tachín estaba a su lado, lo notó y decidió que tenía que ser valiente para salvar a Luis Ángel de las garras de la bruja de la buhardilla o del desván, que le daba lo mismo cómo se llamara aquel lugar tan horrible.

Le costó separarse de sus amigos porque Víctor le agarraba del brazo, Carlota de los hombros, Manuel de la cabeza y Miguel del cuello, pero con un poco de esfuerzo lo consiguió y de puntillas, para no hacer ruido, rodeó la pila de pupitres viejos. Le tranquilizó ver que no estaba solo porque sus amigos lo habían seguido.

Luis Ángel estaba allí, solo, sin bruja que lo hubiera hecho prisionero.

–Aquí está la puerta –les dijo en voz baja. Se le veía orgulloso de haberla encontrado sin ayuda de nadie.

Estaba cerrada, tal como dijo el padre de Miguel. No tenía llave en la cerradura y, aunque empujaron una y otra vez, no se abrió. Ni siquiera cuando Víctor tomó carrerilla apuntando con la pata rota de un pupitre, tal y como había visto hacer a algunos guerreros en el cine cuando intentaban asaltar una fortaleza. La puerta siguió cerrada, y la pata de madera se rompió porque tenía muchos agujeritos de polilla y las cosas apolilladas se rompen con facilidad.

–Si la bruja oye los ruidos se dará cuenta de que vamos a por ella y nos la vamos a cargar –dijo Carlota. Pero cuando ya todos habían decidido bajar, se volvió y miró atentamente la cerradura. El agujero para la llave era grande y recordó que en su casa había muchas llaves. Las llevaría al colegio al día siguiente y podrían probar a ver si alguna

abría la puerta. Así verían todos que también ella tenía buenas ideas.

Mientras despegaba algunas telarañas de su jersey Tachín pensaba. Cuando empujaba la puerta con los demás, se había fijado en la cerradura. Para abrirla se necesitaría una llave muy grande y, en el armario guardallaves de su casa, estaba la de la casa del pueblo. Estaba seguro de que encajaría bien. La llevaría al colegio al día siguiente.

Cuando estaban al final de la escalera Miguel les dijo que subiría de nuevo para ver si habían dejado huellas. Quería borrarlas para que nadie descubriera que habían estado en la buhardilla. A todos les dio rabia que aquello no se les hubiera ocurrido a ellos. Pero Miguel no buscó huellas, sino que hizo con el chicle un molde del agujero de la cerradura para comprobar si alguna de las llaves de su casa encajaba, aunque no dijo nada a sus amigos porque quería que vieran que, aunque casi todos los días se olvidaba en casa la tarea o el almuerzo, era bastante listo.

Luis Ángel tampoco dijo que cuando encontró la puerta miró por el ojo de la cerradura para ver si veía a la bruja. No la vio, pero calculó que con una llave del tamaño de su propio ojo él podría muy bien abrir, y su hermana tenía una muy bonita en su cuarto en la que ponía: «Llave de la Alhambra». Era tan bonita que parecía de plata. Seguro que con una llave de plata se podría abrir todo.

A Víctor se le ocurrió la idea en su casa. Tenían un armario antiguo y grande con dos llaves formidables. Sus amigos se quedarían asombrados cuando al día siguiente apareciera con ellas en el colegio.

Sí. Se quedaron asombrados cuando todos a la vez volcaron en el suelo del patio catorce llaves. Repuestos de la sorpresa de haber tenido todos la misma idea, pensaron que era casi imposible que no hubiera entre todas ellas una capaz de abrir la puerta de la bruja.

Subieron de nuevo a la buhardilla y probaron una a una las catorce llaves, pero con ninguna de ellas lograron abrirla.

Se miraron consternados. Y todavía les dio más rabia ver que media clase se había enterado de su fracaso, porque allí estaban casi todos. Seguro que Javier, que se pasaba la vida escuchando lo que decían los demás, se había enterado de lo de las llaves y se lo había contado a todos. Hasta las Chulicas estaban allí, y también dijeron «¡qué rabia!» cuando probaron sin éxito la última llave.

Pero Tachín y sus amigos sabían que, como ellas solo pensaban en ser guapas, no se habían enterado ni siquiera de que estaban buscando a una bruja.

Eran tontísimas.

Los malos espíritus

Volvieron al patio cabizbajos. A Tachín le parecía una pena que todas aquellas magníficas llaves no hubieran servido para nada y que la malvada bruja siguiera encerrada en la buhardilla. La imaginó rodeada de calderos cociendo sus pócimas y venenos para convertir a la gente en arañas o sapos.

–Podíamos poner en la puerta ajos para acabar con sus poderes –propuso Maialen.

Pero todos se burlaron de ella porque habían visto muchas películas de vampiros y sabían que era a ellos a quienes se vencía con ajos.

–No tenéis ni idea –les contestó–. Los ajos actúan contra los malos espíritus. Lo dice mi vecina Soledad, que sabe mucho porque nació en Haití. Allí todo el mundo cuelga ajos detrás de las puertas, y su madre los colgó en la de su casa en cuanto vinieron a vivir al piso de abajo.

La miraron con admiración. Ya nadie discutía si existían o no las brujas, porque estaban convencidos de que había una en la buhardilla del colegio. Por eso les pareció buena la idea de Maialen, segurísimos de que aquella era tan terrible que estaría llena de malos espíritus.

Decidieron, pues, colgar ajos en la puerta cerrada.

Y todos llevaron ajos al día siguiente. Todos los de la clase menos las Chulicas, que, como no se habían enterado de nada, estaban sentadas aparte trenzando hilos para hacer pulseras. Siempre estaban haciendo pulseras porque eran muy presumidas. Se enfadaron mucho cuando Tachín les dijo que les tenían que entregar algunos hilos, porque, si no ataban bien los ajos, no podían colgarlos en la puerta de la bruja y a ninguno de ellos se le había ocurrido llevar una cuerda.

Pero los hilos de las Chulicas eran muy fuertes y ellas mismas hicieron un collar con las cabezas de ajos. Les quedó muy bien porque eran las que más sabían de collares y pulseras. Hasta le pusieron a modo de colgante la cebolla que llevó Valentín, porque no encontró ajos en su casa y pensó que sería igual.

Como ya conocían el camino y la escalera, no les costó nada llegar a la buhardilla, aunque Víctor tuvo que poner orden varias veces, porque, como ya se habían enterado casi todos, eran nueve los que los siguieron, y organizaban un jaleo fenomenal, empujándose unos a otros, y diciendo «¡qué miedo!, ¡qué miedo!», como si fueran tontos.

Cuando llegaron ante la puerta cerrada se dieron cuenta de que no podían colgar los ajos porque no había ningún gancho y la manilla no sujetaba nada ya que colgaba hacia abajo porque estaba estropeada. Miguel dijo que seguramente la habían roto su padre y sus amigos el día que intentaron abrirla.

Estaban dando vueltas a qué podían hacer, cuando Víctor se sacó de la boca una bola de chicle e intentó pegar con ella los ajos. No lo consiguió porque pesaban mucho, pero Tachín pensó que a lo mejor lo lograban con muchos chicles, así que todos los que estaban mascando uno lo entregaron. Además, Carlota tenía un paquete de diez pastillas en el bolsillo y las repartió para que todos las masticaran hasta poner el chicle blando. Resultó bien, porque al poner un chicle en cada una de las cabezas de ajos, el collar se sostenía en la puerta y casi parecía un adorno de Navidad de lo bien que quedaba. Tachín estaba convencido de que alejaría a los espíritus en un santiamén y todo el colegio viviría mucho más tranquilo.

Aquello era tan emocionante que ni él ni sus amigos podían dejar de pensar en ello y se preguntaban si se notaría algo especial cuando huyeran los espíritus malvados.

Fátima dijo al día siguiente que el colegio olía diferente y todos olisquearon y dijeron que sí, que olía diferente, y se emocionaron mucho. Pero Carlota los desilusionó. Lo que olía diferente era el líquido de limpiar los suelos, que la señora Marcelina había cambiado por otro, por el mismo que usaban en su casa.

Estaban tan intrigados, tenían tantas ganas de saber si los ajos habían ahuyentado a los espíritus, que volvieron a subir a la buhardilla. De hecho, subieron algunos más que el día anterior, porque Lupe, Paula y Juan también querían ver qué había pasado.

Entraron sigilosos, rodearon la pila de pupitres viejos y a punto estuvieron de gritar.

El collar de ajos con su hermosa cebolla de colgante ya no estaba pegado en la puerta y también habían desaparecido las bolitas de chicle. Allí no había nada.

–¡La bruja!, ¡la bruja! –chillaron Julen y Valentín, que siempre decían que las brujas no existen.

Paula y Daniel tenían tanto miedo que salieron corriendo y no pararon hasta llegar al patio. Estaban tan asustados que ni siquiera tomaron precauciones para que no los viera Lázaro.

Los demás continuaron mirando la puerta, preguntándose qué habría pasado. Tachín incluso se atrevió a empujarla, pensando que tal vez la bruja, ya sin malos espíritus, se había ido. Pero seguía bien cerrada.

–Los ajos no han dado buen resultado –dijo Carlota.

–Ya os avisé de que son para vampiros. Con las brujas no sirven.

–Además huelen mal. Seguro que no le gustan y los ha tirado –dijo Teresa.

–¿Y si ponemos algo que huela mejor? –preguntó Carlota–. Puede que la canela le guste más. Mi abuela aromatiza los postres con canela y le salen buenísimos.

Como la palabra *aromatizar* les gustó mucho, decidieron que lo mejor sería aromatizar con canela la puerta de la buhardilla para que los malos espíritus escaparan corriendo.

Hasta la señorita Pili notó el olor en la clase al día siguiente, porque arrugó y aflojó la nariz unas cuantas veces, y después la oyeron decir a los otros profesores que las mujeres de la limpieza habían cambiado otra vez el ambientador y que el nuevo olía mejor.

Pero lo cierto era que en todos los pupitres había canela, en palitos, en polvo y hasta en líquido en un frasquito que llevó Lupe en el que ponía: «Esencia de canela».

Daba gusto lo bien que olía la buhardilla cuando dejaron en ella toda aquella cantidad de canela. Tan bueno era el olor que hasta la bruja debió de notarlo porque se movió. Todos pudieron oír sus pasos en el interior de la habitación, como si tuviera intención de salir.

Pero ninguno esperó para ver si lo hacía, ya que, sin decir nada, y todos a la vez, escaparon corriendo, muertos de miedo.

Dulces deliciosos

Nadie hubiera imaginado que las Chulicas eran valientes. Como solo pensaban en ser guapas y parecerse a Hannah Montana, todos las tenían por tontas. Pero aquel día asombraron a toda la clase diciendo que habían subido a la buhardilla y que también había desaparecido la canela. No quedaba ni un palito, ni polvo, ni esencia. Nada. Ni siquiera olía bien. Así que, por si la canela tampoco había ahuyentado a los malos espíritus, habían dejado sus almuerzos: un bocadillo de mortadela, un sándwich de nocilla, dos pastillas de chocolate y una bolsita de avellanas.

Aunque durante un rato las habían respetado mucho por haberse atrevido a subir solas a la buhardilla, el que hubieran dejado allí sus almuerzos les pareció a todos una tontería.

–¿Cuándo se ha visto que la mortadela ahuyente a los espíritus? –dijeron.

Pero a las Chulicas no les importó nada, porque, como eran tan presumidas, en ese momento le estaban diciendo a Jeruca que les dejara probarse su diadema nueva, y ya no les interesaba nada la bruja.

Pero, cuando estaban en el recreo, Luis Ángel volvió a decir que la había visto en la ventana. Que se había asomado un momento, los había mirado y después se había escondido.

Al principio nadie lo creyó, pero pareció como si Miguel fuera a desmayarse cuando les dijo que la ventana de la buhardilla estaba abierta. Todos levantaron la cabeza para mirar, y era verdad, estaba abierta.

–A lo mejor ha estado siempre así –dijo Valentín, que, como estaba empeñado en que las brujas no existen, no se creía nada.

Julen le dio la razón porque también decía que no hay brujas, así que empezaron a reñir, ellos contra todos los demás, porque, aunque no estaban seguros de si antes estaba la ventana abierta o no, decían que allí vivía una bruja desde hacía más de cien años.

Y en el momento en que más gritaban y se empujaban, algo cayó desde lo más alto y fue a aterrizar entre ellos. Era una bolsa de papel marrón cerrada con una pinza de las de tender la ropa. Tenía algo dentro porque estaba muy abultada.

Se apartaron con miedo, levantaron la cabeza y echaron a temblar.

–¡La ventana se ha cerrado! –gritó Manuel. Y casi todas las chicas empezaron a chillar como locas.

–A lo mejor la ha cerrado el viento. En mi casa pasó una vez y con el golpe se rompió el cristal y tuvo que venir el cristalero a poner uno nuevo –dijo Julen.

Tachín pensó que tenía razón y que la ventana podía haberse cerrado sola, pero ¿de dónde había caído la bolsa de papel cerrada con una pinza de madera?

Se acercó con precaución y, aunque los demás le gritaban que no lo hiciera, fue aproximando poco a poco la mano hasta cogerla.

–¡No la abras! ¡No la abras! –gritó Carlota.

Pero Tachín no le hizo caso y con decisión quitó la pinza.

–Huele a canela –les dijo.

A lo mejor son los espíritus malignos que se han aromatizado antes de escapar –respondió Carlota recordando lo bien que olían los postres de su abuela–. Lo mejor es dejar esa bolsa escondida en cualquier lugar donde nadie pueda encontrarla, porque es muy peligrosa.

Tachín, que sentía que se fijaban en él los ojos admirados de sus compañeros, se sintió tan valiente que abrió la bolsa y miró su interior.

Lo que vio allí lo dejó asombrado.

No eran los malos espíritus de ninguna bruja, aunque olieran a canela.

Lo que había en la bolsa era un buen montón de magdalenas, cada una dentro de su molde de papel rizado y con aspecto de estar buenísimas.

–Ni se os ocurra probarlas –dijo Valentín, que, aunque siempre decía que las brujas no existen, estaba intranquilo porque creía que las magdalenas tenían algún encantamiento.

Miguel no le hizo caso. Tenía hambre porque aquel día se había dejado el almuerzo en casa, y no le importaba que estuvieran hechizadas, ya que, después de todo, tenían un aspecto muy bueno.

–Está riquísima –dijo encantado. Y como vio que no se moría, cogió otra.

–¡Eh, que se las va a comer todas! –gritó Javier, porque no le parecía justo que Miguel fuera tan aprovechado, pues, al fin y al cabo, como también él había llevado tres palitos de canela, tenía derecho a probar las aromatizadas magdalenas. Así que, empujando a

todos, logró alcanzar la bolsa, aunque los demás notaron que mordía la magdalena con precaución porque era muy miedoso.

–A lo mejor no son de la bruja –dijo esperanzado.

–Si no son de ella, ¿de quién son? –preguntó Víctor. El que olieran deliciosamente, no solo a recién hechas, sino a canela, le preocupaba mucho.

–Puede ser casualidad. A los postres se les pone canela. Todas las personas lo hacen –dijo Carlota, que acababa de comer la última de la bolsa.

Julen y Valentín le dieron la razón porque, como decían que las brujas no existen, no podían cocinar nada.

Pero al día siguiente, cuando de nuevo estaban reunidos bajo la ventana misteriosa, otro paquete descendió hasta ellos. Esta vez era una bolsa de plástico también cerrada con una pinza de madera que Tachín se apresuró a quitar.

–¡Son pastas! –exclamó.

Las contemplaron encantados porque también olían bien, y cada una de ellas estaba adornada con una avellana.

–Yo no pienso ni probarlas –dijo Javier. La noche anterior le había dolido la tripa, y, aunque su madre se empeñó en que era porque había comido un montón de chuches, él estaba convencido de que era por culpa de la bruja.

–Pues yo sí. Las magdalenas estaban buenísimas y seguro que las pastas también.

Aunque Miguel acababa de almorzar, tenía hambre y también miedo a que la más chulica de las Chulicas le dejara sin nada, porque decía que las avellanas de adorno eran las que le había dejado a la bruja el día anterior.

Todos se burlaron de ella diciendo que todas las avellanas del mundo son iguales y por eso ella no podía saber si eran las suyas, pero dejaron de reírse cuando Nuria, tras tragarse la pasta que tenía en la boca, los miró asustada.

–¿Y si esta bruja es como la de la casita de caramelo y lo que quiere es engordarnos con dulces para comernos después? –dijo.

–Eres tonta. No puede hacer nada de eso porque no existe. Las brujas no existen –insistió Valentín. Pero no debía de estar muy seguro de lo que decía porque tenía una pasta en la mano y Tachín vio que no la mordía, sino que la guardaba en el bolsillo, como si tuviera miedo de comérsela.

–Yo creo que es una bruja buena –opinó Teresa.

–Las brujas buenas no existen –contestó Julen. Y no supieron si quería decir que no existen las brujas o que no hay ninguna bruja buena, porque en ese momento sonó el timbre para subir a clase.

–Por si acaso, lo mejor es que no le llevemos más cosas –añadió Valentín.

Y Tachín no se atrevió a decir que nada más llegar al colegio, Carlota y él habían subido a la buhardilla para dejar junto a la puerta cerrada unos cuantos membrillos. Los habían traído del pueblo la tarde anterior y su madre los había puesto en unos cuencos por toda la casa porque olían muy bien. Por eso él había cogido uno de cada frutero para que no se notara. A lo mejor al olerlos los espíritus malignos escapaban de la buhardilla, y la bruja, tras ellos, porque Tachín creía que una bruja no puede vivir sin sus malos espíritus.

Pero en seguida dejó de pensar en ello, ya que una nueva preocupación se adueñó de él. Lázaro, el conserje del colegio lo estaba mirando, y su mirada era tan terrible como siempre. Seguro que se había enfadado con él por comer en la fila. Le quedaba todavía una de las pastas de la bruja y pensó que le daría tiempo a comérsela antes de subir las escaleras. Como a Lázaro no podía ocultársele nada, lo había visto. Le había visto morder aquella pasta tan buena. Además, ya no le quitó la vista de encima. Lo mismo cuando fueron al comedor que al salir del colegio para ir a casa. Fija su terrible mirada en las manos de Tachín, como si esperara ver de nuevo en ellas otra de aquellas pastas adornadas con una avellana que a todos les habían gustado tanto.

Dulce de membrillo

Aunque Julen y Valentín siguieran diciendo que las brujas no existen, Tachín y sus amigos estaban inquietos. La puerta de la buhardilla continuaba cerrada y sin embargo los membrillos habían desaparecido, igual que los ajos, la canela y los almuerzos de las Chulicas.

–Como ella tiene poderes de bruja, es capaz de coger lo que le dejamos sin abrir la puerta –dijo Tachín.

Carlota, Víctor, Miguel y él estaban sentados en el suelo del patio, y como ocurría cada día desde que conocían el secreto, media clase se acercó a ellos.

–La ventana está cerrada –dijo Fátima.

Y justo cuando acababa de hablar, Tomás gritó que acababa de abrirse y que por ella había asomado un brazo.

–Un brazo con manga negra como los vestidos de bruja.

Y debía de ser verdad, porque al momento vieron descender una caja de cartón. Bajaba suavemente porque pendía de un hilo que alguien soltó y cayó sobre ella al tocar el suelo.

La caja era de zapatos y en uno de los laterales ponía «Color negro», y «n.º 43».

Se miraron indecisos, sin saber qué hacer. Fue de nuevo Tachín quien se decidió. Pensó que, después de todo, unos zapatos no podían hacer ningún daño.

–¡Ahí va! –dijo al abrirla. Porque lo que había dentro no eran unos zapatos de bruja como todos esperaban, sino bocaditos de dulce de membrillo, cuadrados, cada uno en un moldecito de papel igual a los de las magdalenas.

–¡Me pido uno! –gritó Lupe.

Como todos querían probarlos, un montón de manos se acercó a la caja, al tiempo que el sol proyectaba sobre ellos una sombra grande, terrible.

–¿De dónde habéis sacado esos dulces? –gritó una voz que los dejó aterrados.

Lázaro los miraba con más cara de genio que nunca.

–Han caído aquí... –balbuceó Carlota. Estaba muy asustada porque el conserje enfadado era peor y más temible que una bruja.

–Pues cuando los terminéis no quiero ver ni un papel en el suelo –gruñó.

Respiraron con alivio cuando se fue, aunque volvió la cabeza unas cuantas veces mirando hacia el tejado del colegio, o a ellos mismos, como si esperara ver el suelo lleno de moldecitos vacíos, para poder echarles una bronca de miedo.

–Lo sabe todo –dijo Miguel.

–Sí. Nos ha descubierto y tiene miedo de que abramos la puerta y la bruja se escape –susurró Tachín en voz muy baja, porque además de que no quería que Lázaro lo oyese, tenía la boca llena de dulce de membrillo.

El conserje era el que más mandaba en el colegio y, como todos le tenían tanto miedo, la mayoría de los de la clase se fue alejando.

Hasta Julen y Valentín, que creían que las brujas no existen. Pero pensaban que una cosa era enfrentarse a una bruja que no existe y otra muy diferente, a Lázaro, a quien hasta los profesores obedecían sin rechistar.

Por eso Carlota y Tachín se acercaron temerosos a su portería aquella misma tarde, ya que la señorita Pili les había pedido que le llevaran unos papeles.

Estaba sentado en su silla leyendo el *Marca*, pero levantó la cabeza cuando los oyó llegar.

–¿Qué queréis? –les preguntó con cara de pocos amigos.

Alargó la mano hacia los papeles que le dio Carlota y después los miró. Pero de forma diferente a como solía mirarlos. Parecía como si tuviera algo que ocultar.

«Nos vigila», pensó Tachín.

Se lo dijo a sus amigos en cuanto se alejaron de la portería.

Pero no pudo moverse de donde estaba.

Había descubierto algo inquietante.

Allí, en la portería de Lázaro, y sobre un platito, había dos porciones de dulce de membrillo. Iguales, exactamente iguales a las que ellos habían encontrado en la caja de zapatos del número 43 que parecía haber bajado del cielo.

–Es cómplice de la bruja –dijo Miguel cuando salían del colegio.

–Y como es cómplice y sabe que lo hemos descubierto, nos vigila –respondió Tachín.

Pero Carlota los asombró diciendo que a lo mejor Lázaro no era cómplice, sino el malvado que había encerrado a la bruja en la buhardilla.

Los chicos pensaron que su amiga tenía razón. El conserje era muy capaz de tener encerrada cien años a una bruja que, aunque tuviera espíritus malignos, era capaz de hacer en su cocina cosas riquísimas. Decidieron vigilarlo, y a eso dedicaron el día siguiente.

Pero resultó que Lázaro no hizo nada diferente a lo que siempre hacía. Vigiló la entrada y salida del autobús de los pequeños, atendió la portería, riñó a los de secundaria cuando su balón dio en el cristal de 5.º B, y amenazó a las Chulicas con llevarlas al despacho del director porque estaban bailando en el patio cuando ya todos habían subido a clase. Eran tan tontas que cuando se ponían a bailar no se enteraban ni de cuando sonaba el timbre.

Sin embargo, aunque no hiciera nada fuera de lo normal, Tachín tuvo la certeza de que vigilaba a los de su clase. El conserje no miró a los demás del colegio, pero paseó junto a ellos cuando empezaron a almorzar cerca de la fuente. Carlota aseguró después que lo había visto mirando los papeles de la papelera del patio, como si por ellos quisiera adivinar qué habían comido.

–Actúa de forma muy rara –dijo Víctor.

Y todos dijeron que sí. Incluso Julen y Valentín, que, aunque no creían en las brujas, no veían bien que Lázaro hubiera encerrado a una en la buhardilla en contra de su voluntad.

–¡A lo mejor no es en contra de su voluntad. Igual está contenta allí! –chilló Mercedes, que siempre hablaba a gritos.

–Pues, a pesar de todo, tenemos que liberarla –dijo Miguel.

Pero solo Víctor, Carlota y Tachín estaban dispuestos a intentarlo. Los demás tenían tanto miedo de Lázaro que los dejaron solos.

Lázaro y la bruja

Había fontaneros en los servicios de bachillerato y Tachín y sus amigos sabían que Lázaro no se apartaría de ellos mientras estuvieran trabajando. Vigilaría a aquellos hombres sin quitarles ojo para que hicieran bien el cambio de grifos y tuberías. Les pareció que era el mejor momento para subir a la buhardilla sin ser descubiertos, aunque Miguel, Tachín y Víctor tuvieron que esperar a Carlota, que se empeñó en ir al jardín de atrás para coger una flor.

–Se la voy a llevar a la bruja. Como la pobre lleva más de cien años encerrada, seguro que ni se acuerda de cómo son las flores. Le gustará –les dijo.

Aunque sabían que Lázaro no iba a apartarse de los fontaneros, subieron sigilosamente la escalera. Ya que no podían abrir aquella puerta, gritarían muy fuerte junto a ella. Le dirían a la bruja que sabían que estaba allí y que estaban dispuestos a dejarla en libertad si ella les decía cómo podían hacerlo. Seguro que después de pasar tantos años prisionera, colaboraría en el plan.

Así que se acercaron. Primero, Tachín; después, Carlota; tras esta, Víctor, y por último, Miguel. Aunque ninguno lo dijera, sentían gran emoción.

Y, de pronto, cuando estaban junto a ella, la puerta se abrió.

La bruja pareció sorprendida al verlos. Como todas las brujas, iba vestida de negro, aunque su vestido tenía diminutos lunarcitos blancos. No llevaba sombrero y por eso vieron que su pelo, recogido en un moño, era blanco. Tampoco tenía escoba, pero en la mano llevaba un cubo de plástico azul lleno de ropa blanca. Su aspecto no era amenazador, pero la miraron asustados, sin atreverse a decir nada, hasta que tras unos instantes Carlota se decidió a dar un paso adelante y le ofreció la flor. Y tenía razón. Se notó en seguida que a la bruja le gustaba porque sonrió, la miró encantada y hasta se la acercó a la nariz para ver si olía bien.

–¿Cómo habéis adivinado que es mi cumpleaños? –les preguntó.

Tachín le contestó que no habían ido a felicitarla sino a liberarla, porque les parecía mal que estuviera siempre encerrada en la buhardilla.

–Pero si no estoy encerrada –dijo sin dejar de sonreír.

–A lo mejor es que usted no se ha dado cuenta, pero le aseguro que esta puerta está siempre cerrada y no hay llave que pueda abrirla porque hemos probado todas las de nuestras casas y no ha servido de nada –contestó Víctor. Aquella bruja le caía cada vez mejor.

–Claro, es que la llave es esta –respondió ella. Y llevándose la mano al bolsillo sacó una muy grande. Tan grande como la de la casa del pueblo del abuelo de Tachín. Después la metió en el agujero de la cerradura, la giró con suavidad y la puerta quedó cerrada, como siempre la habían visto.

–Y si tiene la llave, ¿por qué no sale de su encierro? –preguntaron los cuatro a la vez.

–No es mi encierro. Suelo venir a esta habitación solamente a tender la ropa. Entra tanto sol por la ventana que se seca en seguida. Después, cuando la recojo, vuelvo a dejar la puerta cerrada. Podéis estar tranquilos, nadie me tiene prisionera. Ahora venid conmigo. Ya que me habéis traído estos días tantos regalos y hoy una hermosa flor, estaría bien celebrar mi cumpleaños con vosotros.

La siguieron con recelo porque era dulce y cariñosa como la del cuento de la casita de caramelo y no querían que los engañara como a Hansel y Gretel. ¿Estaría pensando en encerrarlos para engordarlos con sus deliciosas pastas y magdalenas y el sabroso dulce de membrillo?

Ella abrió una puerta que había en el piso de abajo y entraron en una casa que olía como huelen las casas cuando hay un bizcocho en el horno, y en el cuarto de estar había una mesa camilla con falda de flores igual a la de la abuela de Tachín, que todavía pareció mejor cuando la bruja puso en el centro de la misma un vaso con la rosa de Carlota, un bizcocho de chocolate y una bandeja de sus deliciosas magdalenas.

–¡Y ahora todos a comer! –exclamó.

Después les dijo que hacía mucho tiempo que no lo pasaba tan bien porque nunca hablaba con nadie y le gustaba estar con la gente.

–Suelo asomarme a la ventana para ver a los niños entrar y salir del colegio o jugar en el recreo y he querido corresponder a vuestros regalos con algunos de mis dulces, que espero que os hayan gustado.

El bizcocho de chocolate estaba tan bueno, tan ricas las magdalenas, que, olvidando que tal vez ella los estaba engordando para después guisarlos en una cazuela muy grande, le dijeron que la visitarían siempre que quisiera, lo que la llenó de alegría.

Y entonces, cuando más a gusto estaban, cuando Miguel se estaba poniendo otra tajada de bizcocho, ocurrió algo fatal. En la puerta, mirándolos con más severidad que nunca, estaba Lázaro.

–¿Qué hacéis aquí? ¿Es así como conseguís los dulces para el almuerzo? –gritó.

Los cuatro amigos, olvidando que la sonriente anciana de pelo blanco era una bruja, se alinearon frente a ella dispuestos a defenderla del terrible conserje del colegio.

–¡Para volver a encerrar a esta bruja en la buhardilla tendrá que pasar por encima de nuestros cadáveres! –gritó Tachín con valentía. Pensaba que una persona capaz de hacer un bizcocho como aquel no podía volver a caer en las garras de Lázaro.

La cara de este se había puesto más horrible que nunca.

–¿Cómo te atreves a llamar bruja a mi madre? –tronó mirándolo con gesto de ir a despedazarlo.

¡Anda! La bruja era la madre de Lázaro. Nunca habían pensado que tuviera madre. Ni padre, ni esposa, ni hijos, ni ninguna familia. Porque él era solo el conserje, el que más mandaba en el colegio. Empezaron a temblar. Ya se veían conducidos al despacho del director, que mandaría aviso a sus padres y ellos les echarían una bronca terrible.

Pero no ocurrió nada de eso, porque la anciana que no parecía temer a Lázaro empezó a reír.

–Pero, hijo, estos niños son mis amigos. Han subido a felicitarme y me han traído esta flor tan bonita.

–¿De dónde la habéis cogido? –preguntó, dispuesto como siempre a reñirles por cualquier cosa.

–Olvida ahora de dónde la han cogido. Lo bonito es que me la han traído, así que deja de refunfuñar y siéntate con nosotros a probar este bizcocho. Te aseguro que está buenísimo, Lazarito.

Era raro, rarísimo, estar sentada en la misma mesa que él. Casi como estar soñando porque tenía la cara de siempre, y solo pareció alegrarse cuando Víctor, que tenía reloj, lo miró y dijo:

–¡Se nos ha pasado la hora! Hace rato que ha terminado el recreo y estarán todos en mates. Nos la vamos a cargar.

–Uf... veréis la señorita Pili... –se lamentó Carlota casi llorando.

Se pusieron de pie. Su gesto era tan preocupado que la bruja que no era bruja sintió lástima de ellos.

–No es justo que os castiguen por venir a felicitarme –dijo–. Pero seguramente Lazarito verá la forma de ayudaros, ¿no es verdad, hijo?

Él respondió con un gruñido, pero bajó con ellos la escalera, los acompañó hasta la clase y dijo a la señorita que llegaban tarde porque habían estado ayudando.

–Al fontanero, ¿sabe? Necesitábamos que alguien sostuviera rectos los tubos y ellos se han ofrecido...

–¿Y lo han hecho bien? –preguntó la señorita Pili. Parecía muy contenta de tener unos alumnos tan trabajadores.

–Perfectamente, muy bien...

Parecía avergonzado. Seguramente Lázaro no había dicho nunca una mentira, y ahora lo había hecho por evitarles un castigo, precisamente a ellos, a quienes llamaba pillastres a cualquier hora del día. ¿Por qué?

–A lo mejor, por haber liberado a su madre –dijo Víctor.

–O por la flor de Carlota. Parece que a la bruja le ha gustado mucho.

–No es una bruja. Es la madre de Lázaro y las madres no son brujas.

–Bueno, es igual. Pero ¿por qué ha mentido en lugar de acusarnos como hace siempre? –insistió Carlota.

Se quedaron pensativos, porque pillar al conserje diciendo una mentira, y además a una profesora, era algo que no podían creer.

Pero de pronto Tachín dio con la solución.

Sentados alrededor de la mesa, y mientras comían bizcocho de chocolate, había ocurrido una cosa en la que solo Lázaro y él se habían fijado. Algo que el conserje no quería por nada que se supiera y esto podía ocurrir si aquellos pillastres lo contaban.

Al comprenderlo, Tachín se echó a reír. Estaba seguro de que Lázaro ya no les reñiría nunca. Ni por bajar montados en la barandilla, ni por comer ciruelas verdes del huerto de al lado del colegio. Ni por coger algunas flores del jardín de atrás, ni por coger carrerilla y después deslizarse por los suelos de la galería... Aquello iba a ser estupendo.

Lázaro sabía que a la señora Marcelina, la de la limpieza, le encantaría saberlo porque le fastidiaba mucho que le señalara algún rincón que se le hubiera olvidado limpiar.

Y peor, muchísimo peor, si se enteraban los profesores. Sobre todo el de gimnasia, que siempre estaba de broma y cuando hablaba de él lo llamaba el Gran Visir. Incluso se lo decía cuando pasaba frente a la portería.

–¿Qué cuenta el Gran Visir? –preguntaba a modo de saludo. Y Tachín estaba seguro de que al conserje le gustaba.

Por eso sabía que no tenían nada que temer, porque guardaba un secreto que Lázaro no quería por nada del mundo que se descubriera.

¿Qué dirían los profesores, la señora Marcelina y los alumnos mayores, los de bachillerato, si llegaran a enterarse de que su madre lo llamaba Lazarito?

TACHÍN Y LAS OREJAS DE MIGUEL

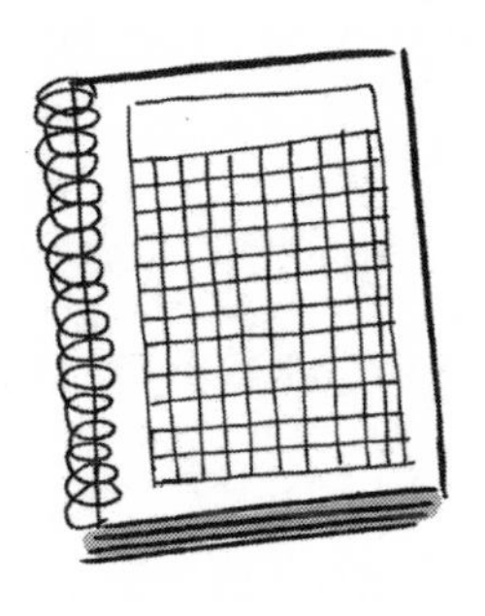

Miguel ha desaparecido

El lío empezó cuando Miguel dijo que se había dejado en casa el cuaderno de las tareas. Toda la clase se quedó con la boca abierta, inquieta, porque Miguel se había dejado el cuaderno en casa tantas veces que el último día la señorita Pili le dijo que le arrancaría las orejas si volvía a ocurrir.

Las únicas que no se asustaron fueron las Chulicas porque estaban hablando de un baile que querían hacer. Ni siquiera se enteraron de que aquel mismo día Miguel iba a quedarse sin orejas.

–Lo mejor es que te vayas antes de que llegue la señorita y te escondas por ahí. Si no te ve, no te pedirá el cuaderno –le dijo Tachín.

A Miguel le pareció bien, pero como no se le ocurría ningún buen escondite, Víctor le aconsejó los lavabos de chicos, porque como la señorita era chica, no podía entrar allí. Así que se fue, dispuesto a no aparecer hasta la hora del recreo.

No hubiera hecho falta, porque precisamente ese día la señorita Pili no pidió los cuadernos. Se le debió de olvidar porque estaba muy preocupada. Les contó que esa noche habían entrado ladrones en el colegio y se habían llevado los tres ordenadores de la sala de profesores y también la radio de la portería.

–Así que, si veis algún extraño por aquí, no os preocupéis, pero se lo decís a cualquier profesor, ¿eh?

Todos dijeron que sí, menos las Chulicas, que estaban pintándose las uñas con los rotuladores y lo único que les interesaba era ver a quién le quedaban más bonitas.

Que hubieran entrado ladrones era tan emocionante que se olvidaron de Miguel y sus orejas, y solo cuando terminó el recreo se dieron cuenta de que no había vuelto.

–Seguro que se ha quedado dormido. Es tan dormilón que puede pasar horas y horas durmiendo –dijo Víctor. Así que se fue a los lavabos para despertarlo, pero volvió en seguida.

–No está –susurró al oído de Tachín.

–A lo mejor se ha encontrado con los ladrones y se lo han llevado para que no pueda acusarlos –dijo Tachín. Estaba muy preocupado y empezaba a lamentar haberle dado la idea de esconderse para que la señorita no le arrancara las orejas.

Víctor lo miró incrédulo.

–Los ladrones roban radios y ordenadores. ¿Para qué van a querer llevarse a un chico como Miguel, que siempre se está dejando los cuadernos en casa?

–A lo mejor para pedir rescate. Cualquier día mandarán una carta a sus padres pidiéndoles un montón de dinero –dijo Daniel, que, como se sentaba en el pupitre de atrás se había enterado de todo.

Al oírlo, Víctor apretó los puños. Pensó que toda la culpa era suya por darle la idea de esconderse en los lavabos, pero Luisa, la del pupitre de al lado, dijo que era imposible que Miguel saliera del colegio.

–Los ladrones no han podido llevárselo,

porque Lázaro cierra las puertas en cuanto llegan los del autobús. Y no las abre hasta que nos vamos.

Javi levantó la cabeza de su libro. Aunque estaba dos filas más atrás que Luisa, lo había oído todo, porque se pasaba la vida escuchando lo que decían los demás.

–Entonces están escondidos en alguna parte y no podrán escapar hasta que abran las puertas para que nos vayamos todos.

Tachín se inclinó hacia Víctor.

–Tenemos que rescatarlo. No podemos seguir tan tranquilos cuando han secuestrado a un compañero, ¿no?

–¿Se lo decimos a la señorita? –preguntó Carlota.

–¡Sí, eso! ¡Y que se entere de que Miguel no ha traído el cuaderno y le arranque las orejas! –exclamó Tachín.

Pero los tres, Carlota, Víctor y él, sabían que tenían que hacer algo porque eran sus mejores amigos.

–En cuanto suene el timbre nos escondemos en los lavabos y cuando todos se vayan salimos y registramos el colegio entero, pero lo tenemos que hacer sin que se entere nadie –dijo Víctor en voz tan baja que Tachín no lo oyó.

–¿Qué has dicho?

–Que no se tiene que enterar nadie de lo que vamos a hacer, porque si se enteran los demás, empezarán a organizar jaleo, los ladrones nos oirán, y vete a saber lo que hacen con Miguel –contestó Víctor en voz más alta.

Era mejor, sí, que nadie lo supiera, porque además podía llegar a oídos de la señorita Pili, que se enteraría así de que Miguel había vuelto a dejarse en casa el cuaderno y le arrancaría las orejas. Sin embargo tuvieron la impresión de que Javi seguía escuchando. Tenía cara de enfadado porque las Chulicas no le dejaban oír bien. Una había llevado una página de revista en la que estaba Hannah Montana y todas querían tener unas botas como las suyas. Cada día eran más tontas. Gritaban tanto que la señorita se enfadó y les dijo que las iba a separar si seguían tan habladoras porque no se enteraban de nada en clase. Así que pusieron caras de buenas y contestaron que sí, que se enteraban de todo, pero cuando la señorita Pili les pidió que repitieran lo que había explicado, resultó que no lo sabían.

Tachín tampoco hubiera sabido decirlo. Estaba tan preocupado por Miguel que no atendía a la clase y el tiempo se le hizo muy largo hasta que sonó el timbre.

Al rescate de Miguel

Para no despertar sospechas, Carlota, Víctor y él salieron separados y corrieron por la galería entre todos los demás, hasta que Lázaro, el conserje, se enfadó y dijo que ya estaba bien de carreras. Entonces fue cuando Tachín se encaminó de puntillas a los lavabos y entró sin encender la luz para que nadie sospechara que alguien se había quedado en el colegio. Las luces encendidas se ven mucho, y seguro que

Lázaro se pondría furioso si los encontraba, porque tenía un genio terrible.

Se acurrucó detrás de la puerta y esperó. Estaba muy oscuro, pero no tenía miedo porque sabía que no estaba solo. Cerca de él, Víctor respiraba tan fuerte que no parecía una sola persona, sino diez.

–¿Salimos ya? –preguntó cuando todo el colegio quedó en silencio.

–Vale –contestó Víctor con su voz de diez Víctores.

Y es que eran diez los chicos que salieron al pasillo dispuestos a rescatar a Miguel, porque Javi se lo había contado a Daniel, y Daniel a Juan, y Juan a Valentín, y Valentín a Julen, y Julen a Luis Ángel y Luis Ángel a Tomás, y Tomás a Manuel, y Manuel a Iñaki. Se miraron unos a otros avergonzados, ya que todos habían prometido a quien se lo había contado que no se lo dirían a nadie, pero ninguno había guardado el secreto porque todos querían rescatar a Miguel.

–Bueno, podéis venir, pero tiene que ser en silencio. Si hacemos ruido se enterará Lázaro y, ya sabéis cómo es, ¿oís? –dijo Tachín. Pero no les dio tiempo a responder, porque en aquel momento se abrió la puerta de los lavabos de chicas, donde estaba escondida Carlota. Pero no salió sola. La seguía un montón de niñas. Hasta las Chulicas, que, como cada día eran más tontas, se habían puesto gafas de sol. Siempre se ponían gafas de sol cuando querían parecer mayores.

–Yo no se lo he contado a nadie –dijo Carlota, que estaba tan asombrada como las demás. También ellas se miraban unas a otras, sorprendidas de estar todas, cuando Luisa solo se lo había dicho a Nuria, y Nuria a Mercedes, y Mercedes a Ana, y Ana a Teresa, y Teresa a Fátima, y Fátima a Lupe, y Lupe a Paula, y Paula a Jeruca, y Jeruca a Elena y Elena a Maialen. ¿Cómo se habían enterado todas si además cada una había prometido guardar el secreto? Se enfadaron muchísimo.

–Te he dicho que no se lo tenías que contar a nadie.

–Y no lo he contado. Se han enterado solas.

–Una no se entera de las cosas si no se las dicen. Lo que pasa es que no sabéis guardar secretos.

–Y algunas son unas escuchalotodo.

Se acusaban unas a otras. Todas menos las Chulicas, que empezaron a cambiarse entre ellas las gafas de sol, porque eran presumidísimas.

Viendo lo que gritaban, Víctor, Carlota y Tachín decidieron escapar. Creían que con tanto alboroto los demás no se darían cuenta, pero, como Javi siempre estaba escuchando, se fijó en seguida y les avisó.

–¡Que se van!

Así que los siguieron todos.

Les parecía raro estar solos en el colegio, aunque estuviera la clase entera. Hasta sus voces susurrantes parecían diferentes en las galerías cuando las recorrieron sigilosos. Tachín tenía miedo, pero no lo dijo. Víctor también estaba asustado, pero no dejó que se le notara, y Carlota temblaba, pero disimuló.

Los demás también tenían miedo, pero como Tachín, Víctor y Carlota les parecían muy valientes, fingieron ser valientes ellos también, así que entraron en todas las clases de primaria y miraron bajo las batas colgadas en los percheros para ver si entre ellas encontraban a Miguel.

Aquí no está. Tendremos que subir al piso de arriba –dijo Tachín.

Todos le miraron con inquietud, porque el piso de arriba era el de los mayores y ninguno había estado nunca allí, pero lo imaginaban como un lugar importante y lleno de misterio. Allá estaba además la sala de profesores, donde la noche anterior habían entrado los ladrones con las herramientas que seguramente tendrían para robar ordenadores.

–¡Quiera Dios que no le hayan hecho nada! –dijo alguno.

Y todos asintieron.

Todos menos las Chulicas, que, como eran tan tontas, se habían puesto a bailar sin importarles nada que las miraran y tampoco que Miguel estuviera en manos de los ladrones.

–No nos separemos por nada del mundo –dijo Iñaki. Le parecía que si iban muy juntos y apretados, los ladrones no los verían. A los demás les pareció bien. Si habían secuestrado a su amigo era porque iba solo. Secuestrar a veinte de una vez era imposible. Así que avanzaron ordenadamente, como el día que hicieron el simulacro de incendio y lo pasaron fenomenal.

Las clases de los mayores les gustaron mucho. Se notaba que eran de mayores porque tenían las mesas y las sillas muy grandes y no se entendía nada de lo que había escrito en la pizarra. Debía de ser algún problema dificilísimo de los que solo saben hacer los de secundaria. No había batas en los percheros, porque como eran mayores no se manchaban nunca y no las necesitaban, así que solo pudieron investigar debajo de las mesas y en un armario grande. A Tachín se le ocurrió sacar algunos libros de las estanterías para ver si alguien o algo se ocultaba tras ellos. Eran libros aburridos, gordos y sin dibujos. No le gustaron nada.

Fue cuando los estaba ordenando de nuevo cuando se oyó un grito terrible.

–¡Lo han matado! –decían las Chulicas.

La clase donde aseguraban que estaba Miguel era diferente. Tenía las paredes de baldosas blancas, mesas muy largas y muchos estantes llenos de frascos, vasijas y tubos de cristal. En un rincón, un esqueleto los miraba fijamente. Al verlo, todos gritaron, y chillando corrieron por las galerías, aunque ya no parecía el simulacro del incendio porque se empujaban unos a otros, y hubieran seguido corriendo si no llegan a chocar contra una pared.

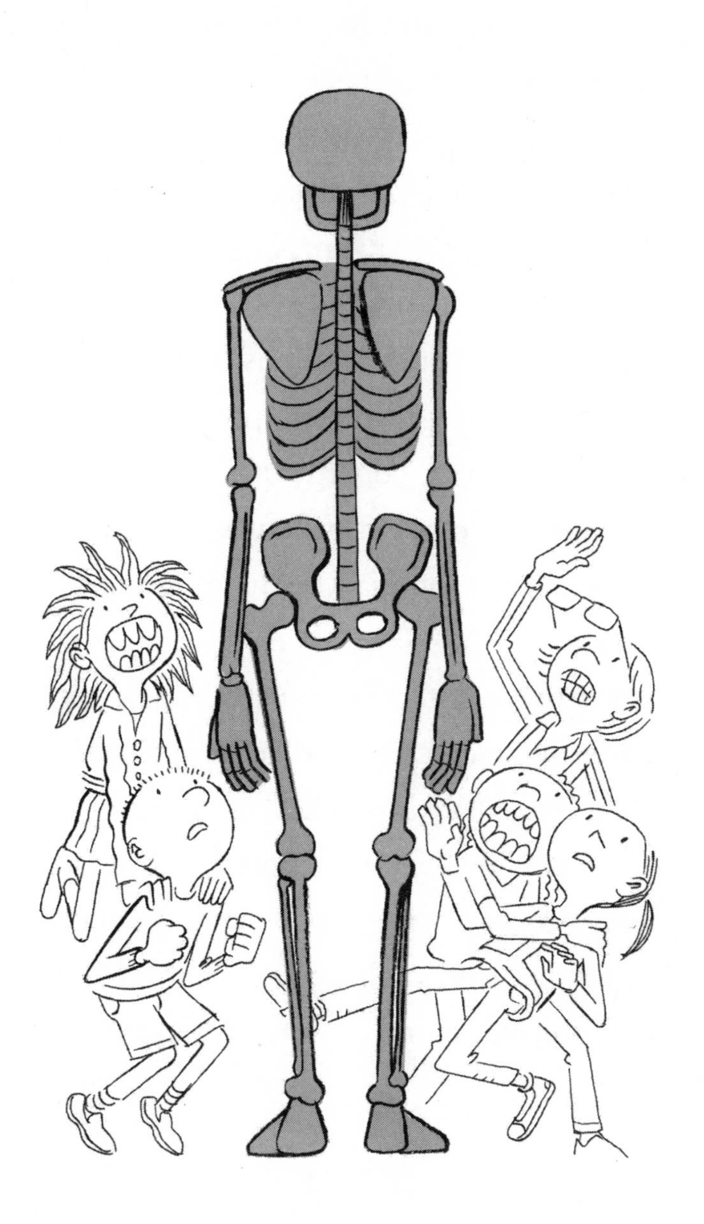

–Yo no he visto a Miguel muerto –dijo al fin Tachín.

–Pues nosotras sí –insistieron las Chulicas. Se habían quitado las gafas de sol porque con ellas todo parecía aún más oscuro y decían que por nada del mundo volverían a aquella horrible clase. Muchos se pusieron a su alrededor diciendo que querían irse a casa.

–El que no sea cobarde que me siga –dijo Javi, que veía muchas películas de miedo en la televisión y quería ver un muerto en la vida real.

Víctor, Carlota y Tachín lo siguieron, porque, aunque tenían miedo, todavía se sentían culpables de la desaparición de Miguel.

Les costó volver a encontrar la clase que tenía paredes de baldosas blancas, pero para cuando llegaron ya iban detrás todos los demás, porque, como se estaba haciendo de noche, les daba miedo quedarse solos en la galería de secundaria.

Las Chulicas volvieron a sentirse importantes por haber sido las descubridoras del muerto. Por eso se adelantaron a los demás, asomaron un poco la cabeza por la puerta de la clase de baldosas y señalaron con la mano.

–Ahí está.

–Pero eso es un esqueleto –contestó Carlota.

–Claro que sí. Es un esqueleto muerto. Todos tenemos un esqueleto dentro que se sale cuando nos morimos, y ese es el de Miguel. Como lo han matado los ladrones, se le ha escapado del cuerpo –explicó una de las Chulicas, que estaba encantada de que todos vieran lo lista que era.

–Ese no es el esqueleto de Miguel –contestó Iñaki.

–¿Cómo lo sabes?

–Porque Miguel no es tan alto, y además este está desnudo. Yo he venido al colegio con él y llevaba un jersey verde.

–A lo mejor a los esqueletos no les gusta llevar jersey y se lo ha quitado.

–Los muertos no pueden quitarse nada porque están muertos.

–¡Tú qué sabes! ¡A lo mejor se mueven cuando no miramos! ¡Ese es Miguel porque lo han matado los ladrones! Y si no lo han matado, ¿dónde está? –gritaron todas las Chulicas a la vez.

–¡Aquí! ¡Estoy aquí!

El esqueleto

La voz de Miguel salía desde el esqueleto, y al oírla volvieron a empujarse para escapar. Como no cabían todos a la vez por la puerta, empezaron a caer en el suelo unos encima de otros y se organizó un lío terrible.

–¿Qué pasa? ¿Por qué estáis aquí toda la clase? –preguntó Miguel. Se arrastraba por el suelo para salir de detrás del esqueleto, pero solo lo vio Tachín, porque, como estaba el último, todavía no había podido salir a la galería.

–¿Por qué no has vuelto a la clase? Creíamos que te habían matado los ladrones –le reprochó.

Miguel no sabía nada ni de los ladrones ni de los ordenadores robados. Estaba muerto de hambre porque no solo se había dejado en casa el cuaderno de las tareas, sino también el almuerzo.

–Me he perdido –explicó–. El colegio es enorme, lleno de clases y galerías.

–Tenías que haberte escondido en los lavabos, como te hemos dicho.

Víctor estaba enfadado y al ver vivo a su amigo ya no sentía ningún remordimiento por haberle dado aquel consejo.

–¡Se dice fácil! –exclamó Miguel–. Cuando iba a los lavabos, vi a la señorita Pili ha-

blando con otra profesora justo en la puerta. Entonces di la vuelta para que no me viera y llegué a infantil. Ya no me acordaba de cómo es aquello... pero justo cuando estaba mirando un poco las clases... chicos, ¿os acordáis de un Pinocho grande que había en...?

–Déjate de Pinochos y sigue contando –le interrumpió Carlota.

–¡Ah, sí!, bueno, pues cuando andaba mirando por allí, apareció el conserje, me agarró del cuello del jersey y me dijo: «¿Qué haces aquí, perillán? ¡A tu clase inmediatamente!». Menudo susto me dio. Así que corrí por otro pasillo y aparecí en el gimnasio, que estaba lleno de mayores y de profesores. Me despacharon de todas partes. Todo el mundo se empeñaba en que volviera a mi clase. Se ve que no sabían que la señorita piensa arrancarme las orejas. Así que seguí corriendo hasta que llegué donde las escaleras de secundaria y no me quedó más remedio que subir, porque volví a ver a la señorita Pili. Seguro que me estaba buscando para arrancarme las orejas, y como no pienso dejar que lo haga, continué buscando un escondite. Pero este piso es un lío de clases, todas llenas de gente que seguía mandándome a la mía. Pero no podía ir porque no encontraba las escaleras. De repente han desaparecido.

–No han desaparecido. Están en su sitio porque nosotros las hemos subido –dijo Fátima.

Repuestos del susto, los que estaban en el suelo se fueron levantando y rodearon a Miguel. Hasta las Chulicas, que, como eran tan tontas, se querían poner a su lado como si les fueran a hacer una foto con un famoso y se reían sin ton ni son.

–Bueno, no han desaparecido, pero yo no las encontraba. De repente he visto esta puerta abierta y, como las paredes son de baldosas, he entrado corriendo creyendo que eran los lavabos de secundaria y me he escondido. Después creo que me he dormido y me he despertado cuando habéis gritado vosotros. ¿Es ya la hora de ir al comedor?

Se echaron a reír porque hacía mucho que habían comido, y ya se disponían a bajar, contentos de tener a su amigo, cuando Paula, una de las Chulicas, se acercó. Se había dejado la mitad del bocadillo del almuerzo y le había clavado un bolígrafo. Se lo puso a Miguel delante de la boca. Aunque eran tontas, a veces tenían buenas ideas, porque el pan con el bolígrafo parecía un micrófono de verdad.

–¿Cómo has podido sacarte el esqueleto si no estás muerto? –le preguntó haciendo muchos gestos de mayor, como los de quienes entrevistan en la tele. Era la más tonta de todas.

–¿Mi esqueleto? ¿Qué pasa con mi esqueleto?

–Que te lo has dejado ahí –contestó Iñaki señalándolo. Se había olvidado ya de que acababa de decir que Miguel no era tan alto y que además tenía un jersey verde.

Miguel lo miró y gritó. Gritó todavía más fuerte que los demás, porque ver su propio esqueleto en secundaria le pareció espantoso.

–¡Alguien me ha deshuesado mientras dormía! –exclamó.

Como su padre era carnicero, conocía muchas palabras del oficio, por eso sabía qué era deshuesar y, como lo sabía, le inquietaba tener que vivir sin huesos.

Tachín se acercó y le palpó los brazos.

–No es tu esqueleto. Sigues teniendo el tuyo dentro –le animó.

Miguel respiró tranquilo, aunque quiso comprobar por sí mismo lo que decía su amigo tocándose la cabeza y las piernas.

–Es verdad, lo tengo todo dentro. Pero si no me han deshuesado, ¿quién es ese?

–Es uno a quien los ladrones han asesinado esta noche –dijo la Chulica, que quería ser famosa hablando a través de su micrófono-bocadillo.

–Un muerto... ¡Y pensar que me he pasado el día agarrado a sus piernas porque creía que eran las patas de una mesa! –se lamentó Miguel.

–Tenemos que encontrar al asesino –decidió Tachín. Estaba muy enfadado porque no le parecía bien que ladrones y criminales fueran tranquilamente por el colegio cometiendo sus fechorías.

En la clase de baldosas había muchos colgadores con batas blancas. Batas grandes de los de secundaria o bachillerato o hasta de los profesores. Se lanzó valientemente a mirar entre ellas por si estaban allí escondidos, pero solo encontró un paquete con un bocadillo de mortadela durísimo que seguramente había perdido alguno de los mayores hacía tiempo. Sin embargo, no se desanimó y siguió buscando, pero ni en los armarios ni bajo las sillas había nadie. Había varios fregaderos con puertas y, como también aquel parecía un buen escondite, los abrió y sacó todo lo que tenían dentro: unos ordenadores, una impresora, una cámara de fotos, una radio, dos calculadoras y varios estropajos verdes. Pero nadie se escondía detrás, y tampoco parecía haber un doble fondo con pasadizo secreto, que es lo que le hubiera gustado encontrar.

Total, que se había tomado un trabajo terrible para nada. Además le costó mucho volver a meter todas aquellas cosas. Parecía que habían crecido, porque ya no cabían, así que tuvo que dejar fuera la impresora, la máquina de fotos y los estropajos.

–Te la vas a cargar cuando vean lo que has hecho –dijo Valentín.

–Seguro que te arrancan las orejas –añadió Miguel. Estaba enfadado, tenía hambre, y ya que se había quedado sin comer, quería al menos encontrar al asesino a quien culpaba del miedo que había pasado cuando creyó que lo habían deshuesado.

–A mí nadie me arrancará las orejas –empezó a decir Tachín, pero lo interrumpió la voz de Maialen.

–He visto una sombra subiendo la escalera –dijo con una voz tan temblorosa que todos la creyeron. Pero ninguno gritó, porque el susto era tan grande que no tenían fuerzas para levantar la voz. Pegados a la pared podían oír los pasos que se acercaban. Ya casi no entraba luz por las ventanas, pero a pesar de ello vieron que alguien se detenía ante la puerta, miraba al interior y después se iba tan silencioso como había llegado.

–No nos ha visto –susurró Juan.

–¡Que te crees tú eso! Nos ha visto y ahora va a por un arma para matarnos a todos –dijo Miguel.

Perseguidos

Aquello les pareció tan espantoso que, sin decir nada, sin siquiera ponerse de acuerdo, decidieron abandonar la aventura. Empujándose unos a otros salieron gateando a la galería. Despacio al principio, deprisa después, velozmente a medida que crecía su miedo.

–Creo que nos persigue, que está ahí, pero no digáis nada para que no nos descubra –dijo Víctor en voz baja.

Pero eso de sentir suaves pisadas en la oscuridad los apuró tanto que alguien, nunca se supo quién, abrió una puerta dispuesto a huir por ella, y todos lo siguieron, entrando uno a uno, sin dejar de gatear, en una habitación en la que la luz estaba encendida.

Estaba encendida porque era la sala de profesores y estaban todos los de primaria sentados alrededor de una mesa grande. Trabajando, seguramente, porque tenían muchos papeles delante.

–Pero bueno, ¿esto qué es? –dijo el profesor de tercero, que fue el primero en hablar. Los demás estaban con la boca abierta, mudos de asombro, viendo entrar a todos los de segundo A, en fila y a gatas.

–¡Auxilio! ¡Socorro! –gritó una de las Chulicas.

–¡Nos persigue un asesino! –añadió otra.

–¡Nos quiere deshuesar! –dijo la más chulica de las tres. Pero ya no parecían tan presumidas como antes porque estaban muertas de miedo.

–¿Qué tontería es esta? –preguntó la señorita Pili.

–¡De pie todos! –ordenó la señorita Clementina, que, como era la directora de primaria, mandaba mucho.

–Hemos encontrado un muerto y el asesino anda suelto –dijo Tachín.

Le extrañó que le creyeran tan pronto, porque en seguida se pusieron de pie, salieron al pasillo, dieron al interruptor para que se encendieran las luces de la galería y miraron a los dos lados. Pero allí solo estaba Lázaro, subiendo cauteloso las escaleras de los de bachillerato.

–Así que son estos... –gruñó, porque tenía muy mal genio.

Después explicó a los profesores que había creído oír voces en el laboratorio y había ido a mirar, pero como no había visto a nadie, iba a subir a bachillerato para asegurarse de que no habían vuelto a entrar los ladrones.

–Mis alumnos aseguran que han visto un muerto –dijo la señorita Pili. Ella no tenía cara de miedo, casi parecía que se iba a reír, pero los siguió hacia la clase de baldosas blancas que los mayores llamaban laboratorio. Les pareció raro que ni ella ni los demás profesores se asustaran al ver el esqueleto. No le hicieron ni caso. Todos se quedaron mirando las cosas que Tachín no había podido volver a meter en los armarios de los fregaderos.

–¿Qué hace aquí todo esto? –preguntó la señorita Clementina, señalando la impresora y la cámara de fotos.

Tachín pensó que sí, que también a él le arrancarían las orejas por lo que había hecho, pero sentía tanto alivio al ver a la señorita Pili a su lado que decir que el culpable era él le pareció más fácil.

–Es que los ordenadores ocupan mucho, o han crecido, no sé, pero antes cabía todo y ahora no.

La señorita se acercó a los fregaderos y se arrodilló delante, como si estuviera en misa, pero no se puso a rezar, sino que abrió las puertas del armario para ver qué había dentro y pareció contenta al ver los ordenadores en el interior.

–No lo entiendo... Bueno, a lo mejor los ladrones solo querían reírse de nosotros –dijo.

Pero Lázaro, el conserje, tenía más cara de genio que nunca cuando se dirigió a los profesores.

–Yo estoy pensando en otra cosa. Me gustaría hablar con todos ustedes en cuanto se vayan estos perillanes.

Lázaro siempre los estaba despachando de cualquier sitio, así que se tuvieron que ir sin enterarse de quién era el muerto, lo que a todos les pareció una injusticia tremenda, porque el esqueleto lo habían descubierto ellos, pero cada uno se encaminó a su casa.

Tachín, pensando en qué diría a su madre por llegar tan tarde.

Miguel, preguntándose qué tendrían para cenar.

Javi, refunfuñando. Quería haberse quedado en el colegio escuchando lo que decían Lázaro y los profesores, pero lo habían encontrado detrás de la puerta y lo habían echado.

Las más contentas eran las Chulicas, que habían vuelto a ponerse las gafas de sol porque estaban convencidas de que en cualquier momento llegarían los de la televisión para hacerles una entrevista como a los famosos.

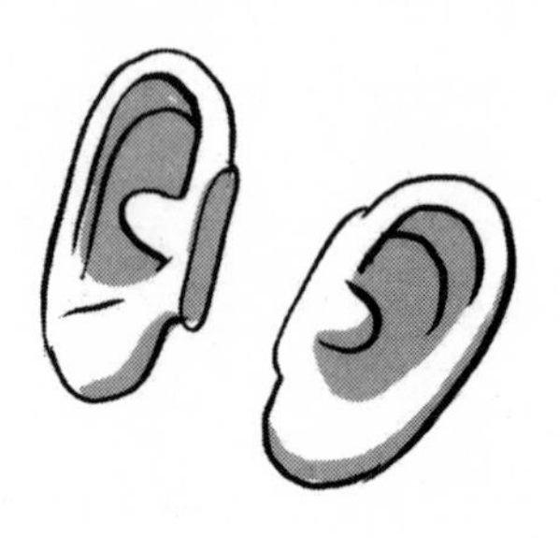

Las orejas de Miguel

Y llegó el día siguiente.

–¡He vuelto a dejarme en casa el cuaderno de las tareas! –dijo Miguel al entrar en la clase.

–Te la vas a cargar –contestó Víctor mirándole las orejas con tristeza.

–Os aseguro que tenía intención de traerlo. No he pensado en otra cosa desde que me he levantado de la cama, pero al final...

No pudo seguir hablando porque en aquel momento llegó la señorita Pili.

Todos creyeron que ya era tarde para salvar las orejas de Miguel, porque ya no tenía tiempo de esconderse en los lavabos.

La señorita se acercaba a él.

Tenía cara de ir a pedirle el cuaderno de las tareas cuando le puso la mano en la cabeza.

«Ahora se las arrancará», pensaron. Y empezaron a temblar.

Pero la señorita Pili lo único que hizo fue alborotarle el pelo, como si estuviera de broma. No le pidió el cuaderno, así que respiraron aliviados. Después fue hasta su mesa, se sentó y dijo que gracias a ellos habían descubierto a los ladrones.

–Se ve que no les dio tiempo a escapar con el botín y lo guardaron en el laboratorio.

Lázaro lo adivinó al ver allí lo robado y propuso que nos escondiéramos, porque estaba convencido de que los ladrones volverían para llevárselo todo. Y tenía razón. Eran tres chicos jóvenes y se sorprendieron muchísimo cuando al entrar sigilosos en el laboratorio nosotros encendimos la luz. Al ver a Lázaro se asustaron, porque estudiaron en este colegio y por lo visto le tenían mucho miedo. ¡Con lo buenísimo que es! Pero, en fin, ellos le temían y aseguraron que no volverían a robar nunca más.

–¿Los van a meter en la cárcel?

–No. Estamos seguros de que dijeron la verdad cuando prometieron no volver a hacerlo.

A Tachín y a sus amigos les pareció mal que los perdonaran y empezaron a hablar todos a la vez. Decían que además de ladrones eran asesinos. Tenían pruebas: ¿es que no había un esqueleto en el laboratorio?

Cuando la señorita logró entenderlos, se echó a reír. Les dijo que hacía años y años que aquel esqueleto estaba en el colegio para que los mayores aprendieran el nombre de todos los huesos. Además, ni siquiera era un esqueleto de verdad, sino de plástico, lo que les dio una rabia terrible, porque un esqueleto de plástico ni es emocionante ni da miedo.

Y como ya hemos hablado mucho, ahora a trabajar. Dadme los cuadernos.

–Yo... yo... me... me lo he dejado en casa –balbuceó Miguel tapándose las orejas con las manos. Pensó que, si no las veía, a lo mejor la señorita se olvidaba de ellas.

Los demás lo miraron compasivos. Sabían que aquel día no podría escapar ni de la clase ni del castigo.

–Algún día te dejarás también la cabeza –dijo la señorita Pili empezando a recoger los cuadernos para corregir las tareas.

Tachín pensó que aunque Miguel fuera un despistado que casi todos los días se dejaba el cuaderno en casa, no tendría que volver a esconderse. La señorita era tan buenísima que hasta había perdonado a los ladrones.

Así que estaba clarísimo que no lo haría.

Porque la señorita Pili era incapaz de arrancarle las orejas a nadie.

Índice